Do Phadraic – Patricia

Do Aunty Barbara – go raibh míle maith agat! – Steve

Foilsithe den chéad uair ag Futa Fata, An Spidéal, Co. na Gaillimhe, Éire
An chéad chló © 2012 Futa Fata

An téacs © 2012 Patricia Forde
Maisiú © 2012 Steve Simpson
Léaráidí breise (leathanach teidil): Sadhbh Simpson

Tá Futa Fata buíoch d'Fhoras na Gaeilge faoin tacaíocht airgid.
Faigheann Futa Fata tacaíocht ón gComhairle Ealaíon dá chlár foilsitheoireachta do pháistí.

Foras na Gaeilge

ISBN: 978-1-906907-50-1

Mise agus an DRAGÚN

scríofa ag
Patricia Forde

maisithe ag
Steve Simpson

Nuair a bheidh mise mór rachaidh mé ag seilg dragúin.

Ar dtús, beidh orm teacht ar cheann. Cuardóidh mé an FHORAOIS FHÍOCHMHAR.

Pléascfaidh mé isteach san fhoraois sin, le mo chlaíomh i mo lámh.

Tá súil agam nach mbeidh aon dris ann. Ní maith liom driseacha.

Beidh mé ag seilg an dragúin sin ar feadh an lae.
Rachaidh seisean i bhfolach orm ach feicfidh mise
é le mo THEILEASCÓP NUA.

Tá súil agam nach mbeidh sé ródhorcha istigh san fhoraois.
Ní maith liom an dorchadas ach an oiread.

Osclóidh an dragún a sciathán.

Suas leis go beo ansin, ag eitilt go tréan.

Rachaidh mise in airde ar chrann mór ard
agus léimfidh mé anuas de.
Beidh m'eitleog agam, ar ndóigh!

Tá súil agam nach mbeidh
an crann ró-ard.
Ní maith liom áiteanna arda.

Leanfaidh mé an dragún sin thar an bhfarraige ghorm,
isteach is amach trí na tonnta. Fiú má thagann
STOIRM MHÓR, leanfaidh mé orm.

Tá súil agam nach mbeidh aon tintreach ann.

Tá faitíos orm roimh an tintreach.

Ina dhiaidh sin, tabharfaidh seisean aghaidh ar na sléibhte arda.
Caithfidh mé cúpla SAIGHEAD DEARG leis an uair sin. Casfaidh an dragún
timpeall, osclóidh sé a bhéal agus séidfidh sé lasracha i mo threo. Phúis!

Tá súil agam nach mbeidh aon deatach ann.

Bíonn mo shúilese tinn nuair a bhíonn deatach ann.

Cromfaidh mise mo cheann, ar ndóigh, is ní bhuailfidh na lasracha mé. Feicfidh mé caisleán os mo chomhair amach agus in airde sa túr mór ard, beidh PRIONSA ann. Nuair a fheicfidh sé an dragún beidh seisean ag caoineadh leis an bhfaitíos.

Ní chuireann dragúin as domsa.

Ach túr mór ard – bheadh faitíos orm thuas ansin.

Beidh an dragún ar tí an prionsa a ithe ach léimfidh mise isteach sa troid le mo thamahác. Ansin, rachaidh mé i bhfolach taobh thiar den chaisleán. Beidh an drágún tuirseach de bheith ag fanacht orm agus imeoidh sé leis suas sa spéir.

Ní maith liom an cluiche 'Imigh i bhfolach'. Tá sé cineál scanrúil.

Is ansin a bhainfidh mise amach mo LASSÚ, mar a dhéanfadh
buachaill bó. Luascfaidh mé san aer é agus is gearr go mbeidh an rópa
sin thart ar mhuineál an dragúin, ar nós gur madra beag a bhí ann.

Ba mhaith liom bheith i mo bhuachaill bó, ach ní maith liom ba. Tá cuma an-dainséarach orthu.

Anois beidh a fhios ag an dragún sin cé hé an bas! Siúlfaidh sé liom go deas ciúin go dtí go dtiocfaimid chomh fada leis an bhfarraige. Rachaidh mise in airde ar a dhroim, cuirfidh mé mo lámha thart ar a mhuinéal agus imeoimid linn.

Ní bhreathnóidh mé síos.

Ní maith liom bheith thuas ró-ard den talamh –

ach tá a fhios agat é sin cheana féin.

Stopfaidh muid san FHORAOIS FHÍOCHMHAR ar an mbealach abhaile, mar beidh ocras ar an dragún. Íosfaidh sé sméara agus duilleoga, ach ní íosfaidh mise iad. Níl cead agam sméara a ithe gan mo Mhamaí a bheith liom.

Nuair a bheidh a shuipéar ite ag an dragún, luífidh sé síos agus titfidh a chodladh air. Tosóidh sé ag brionglóidéach mar a dhéanann dragún.

Tá súil agam nach mbeidh aon DROCHBHRIONGLÓID aige.
Uaireanta, bíonn drochbhrionglóid agamsa faoi róbat aisteach
agus bláthanna ag fás ar a cheann.

Beidh mise ag éirí tuirseach faoin am sin freisin.

Tosóidh mé ag smaoineamh ar mo leaba bheag féin.

Éalóidh me amach as an bhforaois fhíochmhar sin, go deas réidh. Beidh mé in ann dul ag seilg dragúin arís, lá éigin eile.

Nuair a bheidh mise mór, rachaidh mé ag seilg dragúin.

Nó b'fhéidir go gcuirfidh mé smacht ar leon
sa sorcas. Is maith liom leoin…mmmm